38 ESTRATÉGIAS
PARA VENCER QUALQUER DEBATE

ARTHUR SCHOPENHAUER

38 Estratégias para vencer qualquer debate

A arte de ter razão

Tradução
Camila Werner

Com introdução de
Karl Otto Erdmann

AVIS RARA

COPYRIGHT © FARO EDITORIAL, 2021

Todos os direitos reservados.
Nenhuma parte deste livro pode ser reproduzida sob quaisquer
meios existentes sem autorização por escrito do editor.

Avis Rara é um selo da Faro Editorial.

Diretor editorial **PEDRO ALMEIDA**
Tradução **CAMILA WERNER**
Preparação **MARCOS SALLES**
Revisão **EDNA ADORNO**
Ilustrações **KLEBER RIBEIRO**
Capa e diagramação **OSMANE GARCIA FILHO**

Dados Internacionais de Catalogação na Publicação (CIP)
Angélica Ilacqua CRB-8/7057

Schopenhauer, Arthur
  38 estratégias para vencer qualquer debate : a arte de ter razão / Arthur
Schopenhauer ; tradução de Camila Werner ; com introdução de Karl Otto
Erdmann. – São Paulo : Faro Editorial, 2021.
  128 p.

  ISBN 978-85-62409-02-8
  Título original: Die Kunst, Recht zu Behalten.

1. Filosofia alemã 2. Razão 3. Argumentação I. Título II. Werner, Camila
II. Erdmann, Karl Otto

20-1054   CDD-193

Índice para catálogo sistemático:
1. Filosofia alemã 193

2ª edição brasileira: 2021
Direitos de edição em língua portuguesa, para o Brasil,
adquiridos por **FARO EDITORIAL**

Avenida Andrômeda, 885 – Sala 310
Alphaville – Barueri – SP – Brasil
CEP: 06473-000
www.faroeditorial.com.br

Sumário

Introdução – *por Karl Otto Erdmann* 7

Dialética erística – A arte de ter razão 17

A base de toda a dialética 33

As 38 Estratégias 43

1 Generalize as afirmações do seu oponente 45

2 Homonímia – Mude os significados das palavras-chave do oponente 48

3 Confunda a argumentação 51

4 Prepare o caminho, mas oculte a conclusão 54

5 Use as premissas do seu oponente contra ele 55

6 Mude as palavras do oponente para confundi-lo 57

7 Faça o oponente concordar de forma indireta 59

8 Desestabilize o oponente 61

9 Disfarce seu objetivo final 62

10 Use a psicologia da negação 65

11 Tome um conceito geral para o caso particular 66

12 Uso sutil dos vocábulos – renomeie as mesmas palavras ... 67

13 Apresente uma segunda opção inaceitável 69

14 Acuando os tímidos..................................... 70

15 Utilize paradoxos - para situações difíceis 71

16 Desqualifique o argumento do outro............................ 72

17 Faça uso da dupla interpretação 74

18 Mude o curso; interrompa antes da perda certa 75

19 Desfoque; depois encontre uma brecha......................... 76

20 Não arrisque num jogo ganho 77

21 Use as mesmas armas 78

22 Reduza a força do argumento principal 81

23 Provoque o oponente 82

24 Torne a alegação do outro inconsistente........................ 83

25 Use a exceção para destruir a tese................................ 84

26 Reforce um aspecto no oponente; depois destrua o seu
valor 86

27 Deixe o seu oponente desequilibrado 87

28 Ganhe a simpatia da audiência e ridicularize o adversário 88

29 Não se importe em fugir do assunto se estiver a ponto de
perder 90

30 Aposte em credenciais e acue a todos............................ 92

31 Complique o discurso de seu oponente.......................... 98

32 "Cole" um sentido ruim na alegação do outro 100

33 Invalide a teoria pela prática 103

34 Encontre e explore o ponto fraco 104

35 Mostre ao seu oponente que está lutando contra os próprios
interesses 105

36 Confunda e assuste o oponente com palavras complicadas 108

37 Destrua a tese boa pela prova frágil 112

38 Como último recurso, parta para o ataque pessoal 113

Apêndice – Notas de Schopenhauer 119

Introdução
KARL OTTO ERDMANN

MÉTODOS E TRUQUES NA ARTE DA ARGUMENTAÇÃO

Diz Eleonora, na peça de Goethe, *Torquato Tasso*:

Escuto com prazer a discussão dos sábios:
Quando sobre as forças, que no peito do homem
Se movem de maneira tão amigável e terrível,
Os lábios do orador se movimentam com graça.

Isto é inconfundível. Aqui fala um ouvinte orientado puramente pela estética, que não se interessa tanto pelo conteúdo, mas sim pelas formas, modos e recursos psicológicos de uma discussão dialética entre oradores brilhantes. Estetas desse tipo desfrutam de uma discussão como se fosse um verdadeiro duelo medieval; não questionam o propósito da discussão, se este ou aquele representa uma boa causa; querem apenas se divertir com a força e a agilidade dos combatentes. No entanto, tal posição só pode ser mantida em raras ocasiões, não apenas porque as disputas entre espíritos cultos, que cruzam espadas intelectuais e "movimentam os lábios com graça", não são espetáculos exatamente comuns; mas porque é impossível para a maioria considerar disputas discursivas como um mero jogo. Em especial as que são definidas de forma ética e dependem da vitória da justiça e da verdade deixam provavelmente uma impressão dolorosa da maioria dos debates. É chocante ver com que frequência ter razão e ficar com a razão não são equivalentes; que o vencedor de uma discussão não é o que está do lado da verdade e da razão, mas sim o que é mais espirituoso e sabe lutar de maneira mais ágil. Persuasão emotiva, espirituosidade e ironia, aparência convincente e representar um papel autoritário triunfam sobre a perspicácia e o conhecimento. E quantas vezes aquele que é sutil, honesto e crítico é violentado de maneira dialética por gritos brutais e inescrupulosos! Muitos vão — assim como Fausto — renunciar a uma discussão no meio do caminho:

8

Eu lhe peço — assim como meus pulmões —
Quem quer ficar com a razão e tem apenas uma língua,
fique com ela.
E vamos, estou cansado da falação;
Então você tem razão, principalmente porque devo cedê-la.

Como em qualquer disputa, em uma discussão o que está em ação não é o desejo pela verdade, mas o desejo pelo poder. E o ser humano, que não é um ser especialmente nobre, revela seu lado mais sombrio: a vaidade e a hipocrisia triunfam. Desafiar uma convicção soa como desvalorizar a personalidade, e uma refutação é considerada declaração de inferioridade intelectual. Portanto, cada um se agarra desesperadamente às suas afirmações; mesmo aqueles que duvidam da legitimidade de sua causa, fazem todos os esforços para, pelo menos, parecer vitoriosos. Assim, atacam muitas vezes de maneira intencional, e outras tantas vezes de forma parcial ou completamente passional com todos os tipos de truques e subterfúgios dialéticos. E eles são numerosos e variados, mas repetem-se por toda parte: nas conversas diárias e nas polêmicas dos jornais, em debates parlamentares e em processos judiciais; e até mesmo em discussões acadêmicas nos deparamos hoje com os mesmos truques e subterfúgios utilizados há séculos.

* * *

Dois mil anos atrás, Aristóteles já acrescentava aos seus *Tópicos* um apêndice sobre as "falácias dos sofistas": um livro hoje pouco palatável cujos exemplos são insuportavelmente banais e podem até parecer bobos. Quem deve mergulhar a sério nesses casos de "diérese", como a afirmação de que um número pode ser tanto par quanto ímpar porque dois mais três é igual a cinco; quem deve se deixar enganar por falácias, por exemplo, de que duas palavras escritas da mesma forma devem ser tratadas como sinônimas embora possam ser diferenciadas quando pronunciadas por entonações diferentes? Ou por contestações infantis como "o negro é preto e branco ao mesmo tempo" — ou seja, tem a maioria da pele negra, mas branco se estivermos focados nos dentes, etc. Ao mesmo tempo, quem entender o princípio do mecanismo dessas estratégias e conseguir tirar conclusões dos casos mais complicados será visto com admiração, pois compreende os numerosos casos de Aristóteles que realmente têm a ver com as falácias e ainda são usados a todo momento e não são fáceis de identificar no dia a dia. No entanto, o autor as coloca na forma mais simples possível e, provavelmente de maneira intencional, as ilustra por meio dos exemplos bastante óbvios, para tornar a contestação contundente. Esta divisão aristotélica povoou e ampliou a lógica medieval. O ensino das "falácias", pelas quais se podem compreender os sofismas utilizados normalmente, desempenhou um grande papel nos antigos livros de lógica até o século XIX. Em parte, a velha terminologia escolástica ainda é usada hoje pelos estudiosos; alguns termos até fazem parte da linguagem cotidiana dos intelectuais, como "*petitio principii*", "*ignoratio elenchi*" ou o formal "*post hoc, ergo propter hoc*". Outros foram completamente esquecidos ou substituídos por termos comuns e modernos. Quando, por exemplo, alguém amplia uma afirmação válida apenas sob certas condições; quando ele conclui que o vinho é nocivo por causa dos efeitos nocivos do consumo imoderado de vinho, os antigos lógicos chamariam isso de uma "*fallacia um dicto secundum quid ad dictum simpliciter*", enquanto hoje se diria apenas uma "generalização não confiável" ou uma "confusão entre precisão relativa e absoluta". Mas, em casos complicados e de difícil compreensão, termos técnicos curtos estão ausentes por completo, e por isso é difícil impedir as falácias do adversário de forma clara e concisa no decorrer de um debate acalorado.

Seria uma empreitada muito útil substituir a sabedoria acadêmica empoeirada e ornamentada por uma técnica de debate verdadeiramente moderna. Em certo momento, Schopenhauer quis fazer isso, como ele explica em seu ensaio "Sobre a lógica e dialética" no segundo volume de seu *Parerga e Paralipomena*; mas depois desistiu porque achou "que tal exame detalhado e minucioso dos atalhos e truques que a natureza humana comum usa para esconder suas deficiências" — já não era — apropriado. O material inédito que ele coletou foi publicado por Frauenstädt em uma obra póstuma chamada de "erística", isto é, uma doutrina do debate. Neste trabalho está contido a "base da dialética" introdutória que trata das doutrinas lógicas comuns da afirmação e da refutação por meio de "estratagemas". Eles podem ser considerados o início de uma reunião de textos. Estão encadeados aleatoriamente, em parte, equivalentes, em parte, subordinados; e em alguns são idênticos; ao lado de erros básicos de raciocínio encontram-se engodos e subterfúgios especiais, que, com seus ataques à lógica, podem parecer até fora de propósito. Por exemplo, quando ele "aconselha" um oponente a provocar a raiva do inimigo, pois com raiva ele é incapaz de julgar corretamente. O meio para deixá-lo com raiva é ser explicitamente injusto com ele, achincalhando-o e até sendo insolente.

Aparentemente, Schopenhauer fez alguns registros desses, como ele chama, "estratagemas" segundo experiências pessoais. É possível sentir como o velho senhor fica com raiva e não se cansa de desabafar com seu humor sombrio sobre a vaidade, a obstinação e a desonestidade que acompanham a injustiça e a incompetência dos seres humanos.

Aliás, a erística contém alguns truques que são apenas retórica e nada têm a ver com a ilusão dialética. Por exemplo, a estratégia 25: um golpe brilhante do *retorsio argumenti* (argumento contrário) — quando o argumento que o oponente quer usar contra o inimigo pode parecer inicialmente uma atenuante. Por exemplo, ele diz "é uma criança, deve-se dar um desconto". Para depois completar: "Mesmo por ser uma criança, devemos puni-la para que ela não insista em hábitos ruins".

É lamentável que Schopenhauer não tenha concluído sua "erística" como pretendia. A utilidade prática de tais técnicas de debate é inconfundível. Qualquer um que se lembre, também de maneira abstrata, das múltiplas porém recorrentes falácias e domine determinados termos técnicos, e também conheça todos sofismas do outro, está mais bem equipado para a disputa do que aquele que se baseia exclusivamente em seus bons motivos. É como um oficial que estudou táticas e conhece muito bem todos os todos os estratagemas, as estratégias. Ele tem as paradas obrigatórias nas mãos e prontos os exemplos cruciais contra os desvios dos inimigos para serem usados sem muitos rodeios. É comum desdenhar o palavreado acadêmico, mas é claro que sua formação lógica teve algum mérito: quando em uma discussão um orador exclamava para o outro que aquilo era uma *"fallacia causae ut non causae"* ou uma *"petitio principii"*, o outro se sentia compreendido, e os ouvintes tinham uma orientação e sabiam onde procurar o ponto fraco do argumento. Se hoje não se discutisse de maneira tão sem sentido ou infrutífera em reuniões políticas, no parlamento ou no congresso, se não se falasse de maneira tão vã uns dos outros, estar com a razão não se sobreporia tantas vezes, com gritos de objeção, a ter a razão, se estivessem presentes mais pessoas conhecedoras da dialética, que prestassem atenção na técnica do debate, definissem rapidamente todas as falácias, subterfúgios e truques do orador e o punissem.

As construções a seguir não têm a intenção de ser uma coleção completa de todos os truques comuns usados em discussões. Selecionei o que me pareceu mais típico. A maioria dos principais sofismas está numa dessas categorias: eles exploram as imperfeições naturais e inevitáveis da inteligência e da transferência de conhecimento humanas. Eles tratam essencialmente dos seguintes fenômenos:

1. Inadequação da linguagem do ponto de vista lógico. Goethe diz: "Assim que fala, a pessoa já começa a divagar."

2. Conflito entre o universal e o particular: os perigos da generalização, esquematização e tipificação; as contradições e as imperfeições da indução.

3. O fato de que nossas principais convicções baseiam-se em valores e, portanto, estão ligadas à ideia de certo e errado.

4. O fenômeno inevitável de que cada experiência própria se dá ao mesmo tempo que a dos outros, e de que ninguém pode prescindir das autoridades.

5. A tendência erradicável de todas as pessoas ao pensamento absoluto, enquanto nossos valores, conceitos e conhecimentos são relativos.

Esses fatos estão, evidentemente, interligados de várias maneiras, de modo que uma distinção clara é quase impossível. Quase todas as falácias podem ser observadas de diferentes pontos de vista, e algumas surgem da ligação entre dois ou mais truques.

Nos pontos de vista especificados não se enquadram comentários sobre artifícios legítimos, a

15

saber, os subterfúgios e truques acima mencionados nada têm a ver com a lógica, especialmente os *ignoratio elenchi* propositais, que descrevo como a "perversão da questão"; e, finalmente, as falácias propriamente ditas são violações das regras do silogismo.

Nota do editor: Estratagema e estratégia são sinônimos. O primeiro utilizado em assuntos dialéticos e acadêmicos, o outro em assuntos relacionados ao ambiente trivial e corporativo. Adotamos então a segunda acepção, cujo uso se tornou mais comum em nossos dias.

Karl Otto Erdmann (1858 – 1931) foi um reconhecido estudioso da filosofia e respeitado linguista alemão na virada do século passado. Autor de inúmeras obras, textos e estudos na área da semântica, dentre elas, *Die Bedeutung des Wortes*, 1910 *O significado das palavras* – Ensaio na fronteira da psicologia da linguagem e da lógica.

DIALÉTICA ERÍSTICA

A arte de ter razão

DIALÉTICA ERÍSTICA

A arte de ter razão

A DIALÉTICA ERÍSTICA É A ARTE DE DISCUTIR, E mais especificamente de discutir de modo a ter razão, isto é, *per fas et nefas* [por meios lícitos ou ilícitos]. É possível ter razão *objetiva* em relação ao assunto em si e, ainda assim, aos olhos dos observadores, e às vezes aos próprios, não ter razão. Quando, por exemplo, o oponente recusa minhas evidências, isso serve como refutação da afirmação em si, para a qual é possível dar outras evidências; nesse caso, naturalmente, a relação é inversa para o oponente: ele tem razão, sem tê-la de maneira objetiva. Assim, a verdade objetiva de uma argumentação e sua aceitação pelo oponente e pelo ouvinte são coisas diferentes. (A lógica tem a ver com o conteúdo da argumentação e a dialética tem a ver com o convencimento dos demais.)

De onde vem isso? Do componente altamente perverso da natureza humana. Se não fosse isso, se fôssemos completamente honestos, então em todo debate teríamos a intenção de exigir que a verdade fosse mostrada, sem nos preocupar se nossa opinião ou a do outro é que estava correta: isso seria absolutamente indiferente, ou pelo menos algo completamente secundário. Mas a natureza humana torna esta a questão central. A vaidade congênita, que é sensível em especial em relação às faculdades intelectuais, não quer reconhecer estar errada, e que o oponente tenha razão. Pela lógica, cada um deveria apenas se esforçar para emitir opiniões verdadeiras, sólidas, para o que seria preciso primeiro pensar e depois falar. Mas à vaidade congênita, se juntam a verborragia da maioria e a doentia desonestidade do homem. Falam antes de pensar, e depois percebem que sua afirmação era falsa ou que não tinham razão; ainda assim, atuam de modo a parecer o contrário. O interesse pela verdade, que deveria ser o único motivo da proposição de afirmações, é totalmente substituído pelo interesse da vaidade: a verdade deve parecer falsa e o falso deve parecer verdadeiro.

Entretanto, essa mesma desonestidade, essa persistência em uma afirmação que já nos parece errada, ainda tem uma desculpa: muitas vezes, começamos plenamente convencidos da verdade de nossa afirmação, mas o argumento do oponente parece arrasador. Se abrirmos mão da nossa de uma vez, talvez descubramos mais tarde que tínhamos razão: nossa evidência estava errada, mas mesmo assim podia existir uma correta. O argumento que nos salvaria não nos ocorreu logo de imediato. Portanto, vemo-nos diante da máxima: mesmo quando o argumento contrário parece certo e persuasivo, ainda devemos lutar contra ele na esperança de que essa certeza seja apenas aparente, e de que ainda nos ocorra um argumento durante a discussão que arrase com todos os outros, ou um que confirme nossa posição de outra maneira. Desse modo, mesmo sem nos darmos conta conscientemente do fato, somos impelidos à desonestidade durante a discussão. Nesse contexto, a fragilidade de nossa compreensão e a perversidade de nossa vontade colaboram mutuamente. Isso quer dizer que quem discute, via de regra, não luta pela verdade, mas por suas afirmações, e age *pro ara et focis* [por interesse pessoal] e *per fas et nefas* [por meios lícitos ou ilícitos], já que não é possível fazer de outro modo, como foi demonstrado.

Portanto, em geral cada um quer impor sua afirmação, mesmo que ela pareça por um momento falsa ou duvidosa. Até certo ponto, todo homem está armado de tal procedimento com sua própria esperteza e maldade: isso se aprende com a experiência diária com as discussões, e assim cada um passa a ter sua dialética natural e sua lógica natural. No entanto, ninguém vai muito além quando se trata da lógica. Pensar ou fazer suposições contrárias às leis da lógica não é fácil: opiniões erradas são frequentes e silogismos errados, muito raros. Também não é fácil demonstrar carência numa lógica natural; por outro lado, existe muita gente com deficiências na dialética natural: esse é um talento distribuído de maneira desigual (o mesmo acontece com a capacidade de raciocínio e com a racionalidade, que é distribuída de maneira muito desigual). Por isso, é muito comum as pessoas se confundirem com argumentações aparentes e se deixarem refutar quando na verdade têm razão, ou o contrário. E quando se saem vitoriosas de uma discussão, não raro atribuem isso menos à certeza de sua verdade sobre os fatos, mas à capacidade de raciocínio na construção de suas frases, à esperteza e à destreza com que se defenderam. Aqui, como em todos os outros casos, os dons inatos são os melhores; no entanto, muito pode ser feito para tornar alguém mestre dessa arte por meio da prática e da análise das táticas que podem ser usadas para derrotar um oponente, ou para combater as táticas que ele usa para o mesmo fim. Mesmo quando a lógica não tem nenhuma utilidade real ou prática, a dialética certamente tem. Parece-me que Aristóteles elaborou sua própria lógica (analítica) principalmente como base e preparação para sua dialética, e ela era a coisa mais importante para ele. A lógica se ocupa com a forma das afirmações, a dialética, de seu significado ou matéria, do conteúdo: é por isso que se deve contemplar primeiro a forma de todas as afirmações antes de analisar seu conteúdo.

* * *

Aristóteles não determina o objetivo da dialética de forma tão exata quanto eu: ele a indica como finalidade principal da discussão, e ao mesmo tempo também como a descoberta da verdade (*Tópicos*, 1, 2). Mais tarde, ele diz outra vez que, do ponto de vista filosófico, "Lidamos com as argumentações de acordo com sua verdade; e a dialética parte do ponto de sua credibilidade ou de acordo com a aprovação dos outros (δοξα)" (*Tópicos,* 1, 12). O filósofo tem consciência de que a verdade de uma afirmação deve ser distinguida e separada da maneira como ela é apresentada e da aprovação que recebe; mas ele não faz uma distinção muito clara entre esses dois aspectos da questão, então reserva a dialética apenas para convencer os ouvintes. Algumas das regras que ele muitas vezes cria para a dialética na verdade pertencem à lógica; e por isso me parece que ele não ofereceu uma solução adequada para o problema.

* * *

Nos *Tópicos*, Aristóteles abordou a elaboração da dialética de maneira muito metódica e sistemática com sua mente extremamente científica, e isso merece admiração. Mas como acredito que o objetivo devesse se pautar de modo mais prático, isto não foi amplamente alcançado. Depois de analisar conceitos, ideias e conclusões segundo a forma pura em *Analíticos*, ele parte para o conteúdo, do qual ele só lida com os conceitos: pois é nele que está o conteúdo. Argumentos e conclusões são apenas simples formas: os conceitos são seu conteúdo. Seu caminho é o seguinte: toda discussão parte de uma tese ou problema (eles se diferenciam apenas na forma) e então argumentações, que devem servir para resolvê-la. Isso sempre tem a ver com a relação entre os conceitos. Essas relações são quatro. Procura-se em um conceito por: 1. sua definição; 2. seu gênero; 3. sua particularidade, característica considerável, *proprium, idion*;

ou 4. seu *accidens*, isto é, uma qualidade, tanto faz se particular e exclusiva ou não, em resumo, um predicado. O problema de cada discussão está sempre relacionado à uma dessas quatro relações. Essa é a base de toda a dialética. Nos oito livros, ele apresenta todas as relações que os conceitos podem ter com aquelas quatro considerações e apresenta as regras para cada relação possível; como um conceito deve se relacionar com o outro para ser seu *proprium, accidens, genus, definitum* ou definição; quais erros se tornarão mais comuns de ocorrer, e tudo o que se deve observar quando se estabelece, quando se conecta, uma dessas quatro relações (κατασκεναζειν), e o que se deve fazer para desestabilizá-la se é o oponente quem a expõe (ανασκευαζειν). Ao estabelecimento de cada uma dessas regras e da relação entre classes de conceitos ele dá o nome de *topos* (*locus*) e oferece 382 *topos* — em sua obra Tópicos. Entre eles ainda estão algumas regras gerais, principalmente da discussão, que apesar de longas não são exaustivas.

O *topos*, portanto, não é completamente material, não cobre um objeto determinado, ou conceito: pelo contrário, ele sempre tem a ver com uma relação com toda a classe de conceitos, que podem ser incontáveis se examinados em relação às quatro considerações mencionadas acima, que se verificam em toda discussão. E essas considerações apresentam as classes secundárias. A análise ainda é aqui sempre formal, por assim dizer, mesmo que não de todo formal quanto na lógica, que se ocupa completamente com o conteúdo do conceito, mas de maneira formal. Ela cita como o conteúdo do conceito A deve se relacionar com o do conceito B, para que esse estabelecimento seja reconhecido como seu *genus* ou seu *proprium* (marco) ou seu *accidens* ou sua definição, ou segundo as rubricas secundárias de oposição αντικειμεον, causa e efeito, ter e faltar e assim por diante — toda disputa deve girar em torno de tal relação. As regras que ele cita apenas como *topos* são em sua maioria aquelas que estão na natureza da relação dos conceitos, da qual todos são conscientes, e a qual ele insiste que o oponente acate, assim como ocorre na lógica, sendo mais fácil observar essas regras ou perceber seu uso negligente em casos especiais do que se lembrar do *topos* relacionado. Assim, a utilidade prática dessa dialética não é grande. Ele diz coisas muito simples, que podem ser compreendidas apenas pela observação da pessoa com senso comum saudável. Exemplos: "Quando o *genus* de uma coisa é destacado, também se deve encontrar alguma *species* para esse *genus*; se isso não acontecer, então a afirmação é errada. Por exemplo, caso se afirme que a alma tem movimento, então também deve se determinar que tipo de movimento é esse: voo, caminhada, crescimento, diminuição, etc. Sem isso, então ela não tem nenhum movimento. Assim, quando nenhuma *species* pode ser atribuída, então também não há *genus*; este é o *topos"*. Esse *topos* serve para construir ou desconstruir uma argumentação. É o nono *topos*. E, ao contrário, quando o *genus* não existe, também não existe *species*: por exemplo, se diz que alguém falou mal de outra pessoa. E comprovamos que ela não havia falado nada, então ela não pode ter falado mal. Onde não há *genus*, não pode haver *species*.

Sob a rubrica da particularidade, *proprium*, o *locus* 215 afirma o seguinte: "Em primeiro lugar, para refutar: quando o oponente cita algo como particularidade comprovável só pelos sentidos, então a citação foi malfeita: tudo o que for sensorial será considerado incerto por pertencer unicamente ao âmbito dos sentidos. Quando se dizia, por exemplo, como particularidade do Sol o fato de ele ser a estrela mais brilhante que ilumina a Terra, isso está incorreto. Com o por do Sol, não sabíamos se ainda era quem mais iluminava a Terra, pois ele estava fora do alcance dos sentidos. Em segundo lugar, para construir a assertiva: a particularidade é citada corretamente quando se trata de algo que não pode ser percebido pelos sentidos, ou quando puder ser reconhecido pelos sentidos e aplica-se a assertiva por necessidade. Por exemplo, é citada como particularidade de uma superfície o fato de ela ter sido primeiro pintada. Isso é uma característica sensorial, mas de um tipo perceptível o tempo todo, e portanto correta". Com isso quis lhes dar uma ideia do que é a dialética de Aristóteles. Ela não me parece ter atingido seu objetivo: então experimentei outra coisa. Os *Tópicos* de Cícero são uma imitação aristotélica feita de cabeça: muito superficial e pobre. Cícero não tem nenhum conceito claro do que é um *topos* e qual seu objetivo, portanto diz todo tipo de besteira *ex ingenio* [por conclusão própria] e equipa isso com muitos exemplos jurídicos. O que a transforma numa de suas piores obras.

* * *

Para definir bem a dialética, deve-se, independentemente da verdade objetiva (que é coisa da lógica), observá-la simplesmente como a arte de ter razão, o que é o propósito, e será tão mais facilmente alcançado quando realmente se está com a razão. Mas a dialética como tal deve ser aprendida, para que possamos nos defender de ataques de todo tipo, especialmente contra os desonestos, e mesmo porque, como se pode atacar o que o outro afirma sem se contradizer e principalmente sem ser refutado? Deve-se separar completamente a descoberta da verdade objetiva da arte de tornar suas afirmações verdadeiras. Cada uma dessas coisas é tarefa de uma πραγματεια [atividade] completamente diferente, é o trabalho das faculdades do julgamento, do pensamento, da experiência, e para isso não há uma arte específica; mas a segunda é objetivo da dialética, a arte de tornar suas afirmações verdadeiras. Definiu-se dialética como a lógica da aparência. Errado: assim ela seria útil só para defender afirmações falsas; mas quando se tem razão, também é preciso a dialética para vencer, e é preciso conhecer truques desonestos para conseguir isso, dos quais um é muito utilizado: atacar o oponente com as mesmas armas. Por isso, na dialética, a verdade objetiva precisa ser deixada de lado ou vista como acidental; deve-se focar em defender suas afirmações e em como destruir as do oponente. Segundo as regras, a verdade objetiva não deve ser levada em consideração, porque na maioria dos casos não se sabe onde ela está. Muitas vezes a própria pessoa também não sabe se tem razão ou não, ela acredita nisso e se engana, e não raro os dois lados acreditam nisso; pois *veritas est in puteo* [A verdade está nas profundezas] (εν βυθῳ ἡ αληθεια, Demócrito). Em geral, quando surge uma discussão, todos acreditam ter a verdade a seu lado; a seguir, os dois ficam em dúvida; no final, a verdade deve ser definida e confirmada. A dialética não deve participar deste debate: assim como o mestre de esgrima não deve levar em consideração quem tem realmente razão na disputa que causou o duelo — acertar e recuar, é isso que interessa, até mesmo na dialética: ela é uma esgrima intelectual, que só quando completamente compreendida pode ser apresentada como disciplina individual, pois se determinamos como meta a verdade verdadeiramente objetiva, então voltamos à lógica simples. Se, pelo contrário, nos impomos a meta de utilizar afirmações falsas, então temos a sofística. E nos dois casos, parte-se do pressuposto que já sabemos o que é objetivamente certo e errado — mas é raro sabê-lo com antecedência. O verdadeiro conceito da dialética é o seguinte: uma esgrima mental para vencer uma disputa, apesar do nome erística ser mais apropriado. O mais certo seria dialética erística, *dialectica erística*. E ela é muito útil, e hoje em dia é negligenciada de maneira injusta.

Nesse sentido, a dialética deve ser apenas resumida a um sistema de regras e à representação de cada uma das naturezas inspiradas pela natureza. A maioria das pessoas se serve da dialética quando percebe que em uma briga a verdade nem sempre fica do seu lado, e ainda assim tenta ficar com a razão. Por isso também seria muito inapropriado, caso se quisesse levar em consideração na dialética científica a verdade objetiva e sua proposta de esclarecê-la simplesmente, o que não acontece na dialética original e natural ao homem, cujo objetivo simplesmente é ter razão. A dialética científica em nosso sentido tem como tarefa principal, por consequência, levantar e analisar estratégias desonestas na disputa: com isso pode-se, por meio do debate verdadeiro, tanto reconhecê-las como negá-las. Com isso ela deve ter como objetivo final e confesso apenas ter razão e não ter a verdade objetiva.

Segundo todas as minhas pesquisas, nada foi alcançado dessa maneira. Este é, portanto, um campo ainda virgem. Para chegar a esse objetivo, seria preciso aproveitar a experiência para observar como se deve, nos debates casuais frequentes, aplicar este ou aquele conceito de uma ou outra parte. Ao encontrar os elementos comuns nas estratégias recorrentes, seria possível apresentar certas estratégias gerais que podem ser úteis para uso próprio ou para se prevenir quando outros os utilizarem.

O que vem a seguir deve ser visto como uma primeira tentativa.

A BASE DE TODA A DIALÉTICA

✴ **ARGUMENTO** ✴

REFERE-SE (*AD REM*)
À QUESTÃO

REFERE-SE (*AD HOMINEM*)
AO HOMEM

✴ **REFUTAÇÃO** ✴

DIRETA
SOBRE A TESE

INDIRETA
SOBRE A CONCLUSÃO
(CONSEQUÊNCIA DA TESE)

PREMISSAS
FALSAS

CONCLUSÕES
FALSAS

LEVAR
DÚVIDA /
DESVIAR PELA
COERÊNCIA

UTILIZAR
CASES /
EXCEÇÕES
PARA
DESTRUIR
A TESE

ANTES DE TUDO, DEVE-SE CONSIDERAR A ESSÊN-
cia de toda a discussão, o que realmente acontece
nela. O oponente apresentou uma tese (ou nós mesmos, o que dá no mesmo). Existem dois modos para
refutá-la e dois caminhos a seguir.

Pelos modos: a) *ad rem* (foco na questão), b) *ad
hominem* (foco no oponente): quer dizer, mostramos
que a afirmação não concorda com a natureza da coisa, isto é, com a verdade absoluta objetiva; ou com
outras afirmações ou concessões do oponente, isto é,
com a verdade relativa subjetiva. O último modo é
apenas uma demonstração relativa e nada acrescenta
à verdade objetiva.

Pelos métodos: a) direta, b) indireta. Nos primei-
ros, os ataques são feitos diretamente à tese em seus

fundamentos; os indiretos a suas consequências. Os diretos mostram que a tese não é verdadeira, os indiretos que ela não pode ser verdadeira.

Nos diretos, podemos fazer duas coisas. Ou mostramos que os fundamentos da afirmação são falsos (*nego majorem, minorem*); ou admitimos os fundamentos, mas mostramos que a afirmação não leva às consequências (*nego consequentiam*), assim atacamos as consequências, ou a forma da conclusão. Para as refutações indiretas, utilizamos o recurso da apagogia ou da instância.

a) Apagogia: aceitamos uma afirmação como verdadeira, e então mostramos o que vem a seguir quando utilizamos outra proposta reconhecida como verdadeira. Usamos as duas como premissas para um mesmo desfecho, chegando a uma conclusão que é claramente falsa, pois contradiz a natureza das coisas ou as outras afirmações do próprio oponente; isto é, a conclusão é falsa *ad rem* ou *ad hominem* (Sócrates *in Hippia maj. et alias*). Portanto, a afirmação de nosso oponente também era falsa, pois premissas verdadeiras só podem ser seguidas por conclusões verdadeiras, apesar das falsas nem sempre serem seguidas por conclusões falsas. E, neste caso, podemos colocar a afirmação de nosso oponente num terreno frágil.

38

b) A instância ou exemplo ao contrário (ενστασις, *exemplum in contrarium*). Isso consiste na refutação da afirmação por meio da referência direta a casos particulares que nela se incluem pela forma como são expostos, mas aos quais não se aplicam e por meio dos quais a afirmação se mostra necessariamente falsa.

Esse é o esquema fundamental, o esqueleto de qualquer discussão, sua osteologia. Todo tipo de controvérsia pode ser reduzido a isso. A controvérsia inteira, no entanto, pode se dar da maneira descrita, ou apenas aparentemente se dar assim; e ela pode ser apoiada por argumentos genuínos ou falsos. E por não ser fácil estabelecer a verdade em relação a esse assunto, os debates são tão longos e tão obstinados. Também não podemos, ao solicitar o argumento, separar a verdade real da aparente, pois mesmo os que participam da disputa não têm de antemão certeza disso. Por isso descreverei os diversos truques ou estratégias sem observar as questões da verdade objetiva ou da falsidade; pois essa é uma questão da qual não temos nenhuma certeza e que não pode ser determinada de antemão. Além disso, em cada disputa ou discussão sobre qualquer assunto devemos concordar em uma coisa; e com isso, como princípio, devemos estar dispostos a julgar o assunto em questão. Não podemos discutir com quem nega princípios: *Contra neganten principia non est disputandum* [Com alguém que contesta o princípio, não há o que debater].

ESTRATÉGIA 18

Não se importe em fugir do assunto se estiver a ponto de perder

"Aqui, um mestre na arte de mudar de assunto..."

AS 38 ESTRATÉGIAS

ESTRATÉGIA **1**

Generalize as afirmações do seu oponente

CONSISTE EM LEVAR A AFIRMAÇÃO DO OPONENTE
além de sua fronteira natural, tomá-la e interpretá-la da maneira mais ampla e generalista possível e exagerá-la; ou pelo contrário, tomá-la no sentido mais restrito possível, fechá-la nos menores limites possíveis, porque quanto mais geral se torna uma afirmação, mais ataques ela pode receber. A defesa precisa focar na afirmação exata dos *puncti* ou *status controversiae*.

EXEMPLO 1. Digo: "A Inglaterra é o país mais importante na dramaturgia". O oponente tentou procurar uma *instantia* e respondeu: "Era sabido que ela não conseguia ser bem-sucedida na música ou na ópera". Eu o interrompi com a lembrança de "que a mú-

45

sica não pode ser classificada como arte dramática; ela inclui apenas a tragédia e a comédia". Ele sabia muito bem disso e apenas tentou generalizar minhas afirmações, para que elas se aplicassem a todas as representações teatrais e, por consequência, à ópera e à música, para ter certeza de que me derrotaria. Por outro lado, podem-se salvar suas próprias afirmações restringindo-as a limites menores que os da nossa primeira intenção se a forma de expressão utilizada é favorável.

EXEMPLO 2. A diz: "A paz de 1814 trouxe de volta a independência para todos os estados hanseáticos alemães". B retruca a *instantia in contrarium* de que a cidade de Danzig perdeu a independência que ganhou de Bonaparte com aquela paz. A defende-se assim: "Eu disse todas as cidades hanseáticas alemãs: Danzig era uma cidade hanseática polonesa". Essa estratégia já era ensinada por Aristóteles em *Tópicos* VIII, 12, 11.

EXEMPLO 3. Lamarck em sua *Philosophie Zoologique* (vol. 1, p. 203) nega que os pólipos tenham qualquer sensibilidade, pois não têm nervos. Mas agora se sabe que eles percebem alguma coisa: quando vão em direção à luz, para a qual se direcionam ramo por ramo, e pegam suas presas. Disso se concluiu que neles a massa neural está distribuída de maneira homogênea por todo o corpo, misturada a ele por assim dizer. Portanto, o pólipo tem percepções evidentes sem ter um órgão sensorial independente. Como isso refuta a hipótese de Lamarck, ele argumenta de maneira dialética: "Então todas as partes do corpo dos pólipos devem ser capazes de todo tipo de sensação, assim como de movimento, vontade, pensamentos. Assim os pólipos teriam em cada parte do corpo todos os órgãos de um animal completo: cada ponto poderia ver, cheirar, sentir sabor, ouvir etc. E também a capacidade de julgamentos: cada partícula de seu corpo seria um animal completo, e o próprio pólipo seria superior ao ser humano, já que cada pequena parte teria todas as habilidades que o ser humano só tem no todo. Além disso, não haveria nenhum motivo para não ampliar o que se afirma sobre os pólipos para os seres unicelulares, os seres menos completos de todos, e finalmente também às plantas, que também são vivas, etc.". Por meio da utilização de tal estratégia dialética, um escritor se trai, mostrando que no fundo sabe que não tem razão. Porque foi dito que a criatura inteira é sensível à luz, e portanto é de natureza nervosa, ele chegou à conclusão de que o corpo inteiro é capaz de pensar.

ESTRATÉGIA **2**

Homonímia — Mude os significados das palavras-chave do oponente

UTILIZAR A HOMONÍMIA PARA ESTENDER A AFIR-mação estabelecida para o que, com exceção da semelhança entre as palavras, tem pouco ou nada a ver com o assunto discutido; então refutá-la com vigor para dar a impressão de se que refutou a afirmação original.

Nota: sinônimos são duas palavras para o mesmo conceito: homônimos são dois conceitos, que são descritos com a mesma palavra. Veja Aristóteles, *Tópicos*, I, 13. "Profundo", "baixo" e "alto" são usados ora para corpos, ora para tons, e são homônimos; "Íntegro" e "honesto" são sinônimos.

Pode-se considerar esse estratégia como idêntico ao do sofisma *ex homonymia*: no entanto se o sofisma é óbvio, não enganará ninguém.

48

Omne lumen potest extingui
Intellectus est lumen
Intellectus potest extingui.
[Toda luz pode ser extinta.
A compreensão é uma luz.
A compreensão pode ser extinta.]

Aqui logo se percebe que existem quatro termos: a *lumen* literal e a *lumen* compreendida de maneira figurativa. Mas em casos mais sutis, o sofisma consegue enganar, especialmente quando os conceitos cobertos pela mesma palavra estão relacionados entre si e tendem a ser combinados.

EXEMPLO 1.
a) "O senhor ainda não foi iniciado nos mistérios da filosofia kantiana."
b) "Ah, não quero saber de mistérios".

EXEMPLO 2. Eu acuso o princípio da honra, segundo o qual a pessoa se torna desonrada por meio de uma ofensa recebida que não pode ser limpa a não ser que a pessoa revide com uma ofensa ainda maior, ou com o sangue do oponente ou o seu. Defendo que a verdadeira honra não consegue ser ferida pelo que ela sofre, mas apenas pelo que se faz por ela; então tudo poderia acontecer com todos. O oponente faz um ataque direto à fundamentação: ele me mostra de maneira triunfante que se um comerciante é acusado falsamente de desonestidade, ou de falta de cuidado em seus negócios, estarão atacando sua honra, que seria maculada simplesmente por aquilo que ele sofre, e que ele apenas pode restabelecê-la se punir ou pedir retratação ao ofensor.

Aqui, por meio de um homônimo, ele endossa dois tipos de honra, a *honra civil*, chamada também de bom nome, que pode ser ferida por meio da difamação, sob o conceito de honra cavalheiresca, ou chamada de *"questão de honra"* e ferida por meio das injúrias. E porque um ataque à primeira não pode passar despercebido, mas sim ser repelido por meio de refutação pública, não se deve, com a mesma justificação, deixar passar despercebido um ataque à segunda, mas este deve ser repelido por meio de insultos maiores e em duelo. Temos assim uma mistura de duas coisas bastante diferentes por meio dos homônimos da palavra honra, o que dá origem a uma *mutatio controversiae*, mudança do ponto da argumentação.

ESTRATÉGIA **3**

Confunda a argumentação

OUTRA ESTRATÉGIA É INTERPRETAR A AFIRMAÇÃO
estabelecida de maneira relativa, κατα τι, como se tivesse sido feita de maneira geral e absoluta, άπλως, ou pelo menos em um sentido completamente diferente, e então refutá-la pelo sentido que o falante não quis. O exemplo de Aristóteles é o seguinte: o mouro é negro, entretanto os dentes são brancos; assim ele é negro e não negro ao mesmo tempo. Esse é um exemplo inventado, que ninguém levaria a sério: peguemos então um da experiência real.

EXEMPLO 1. Em uma conversa sobre filosofia assumo que defendo e prefiro o sistema dos quietistas. Logo depois vem a conversa sobre Hegel, e eu afirmo que ele escreveu grandes besteiras, ou pelo menos muitos

51

trechos de seus escritos, nos quais Hegel colocou as palavras, mas o leitor precisa dar o sentido. O oponente não tenta refutar isso *ad rem*, mas se satisfaz ao estabelecer o *argumentum ad hominem*: "Eu tinha acabado de defender os quietistas e também eles escreveram muitas besteiras". Admiti isso, mas corrigi ao dizer que não elogio os quietistas como filósofos ou escritores, isto é, não por causa de suas realizações teóricas, mas somente como seres humanos, por causa de seus feitos, somente do ponto de vista prático. E que no caso de Hegel, entretanto, falávamos de teorias. Assim, esquivei-me do ataque.

As três primeiras estratégias estão relacionados entre si. Eles têm em comum o fato de que o oponente na verdade fala sobre uma coisa diferente do que foi afirmado. Então seria um *ignoratio elenchi* [desconhecimento das contraevidências] permitir ser derrotado de tal maneira. Então, em todos os exemplos apresentados, o que o oponente diz é verdade, mas parece estar em contradição com a tese de maneira aparente e não real. Tudo o que a pessoa que está sendo atacada deve fazer é negar a validade de sua conclusão, isto é, a conclusão a que o oponente chega, e isso porque sua afirmação é verdadeira e a nossa, falsa. Dessa maneira, sua refutação é refutada diretamente pela negação de sua conclusão, *per negotionem*

52

consequetiae. Outra estratégia é recusar-se a admitir premissas verdadeiras por causa de uma consequência prevista. Existem duas maneiras de derrotá-las e elas estão incorporadas nas estratégias 4 e 5.

ESTRATÉGIA 4

Prepare o caminho, mas oculte a conclusão

QUANDO ALGUÉM QUISER TIRAR UMA CONCLUSÃO, não deve deixar que ela seja prevista, mas deve fazer com que as premissas sejam admitidas uma a uma, sem perceber, misturando-as aqui e ali durante a sua fala; senão o oponente tentará todos os tipos de contra-ataque. Ou quando se estiver em dúvida se o oponente vai admiti-las, apresentar as premissas dessas premissas; crie pré-silogismos e faça com que as premissas de diversos deles sejam admitidas de maneira desordenada. Desse modo, o jogo fica escondido até que se obtenham todas as admissões necessárias. Essas regras são dadas por Aristóteles em seus *Tópicos*, VIII, 1.

Esta estratégia não precisa de exemplos.

ESTRATÉGIA 5

Use as premissas do seu oponente contra ele

TAMBÉM SE PODE UTILIZAR COMO PROVA DE UMA afirmação verdadeira outra afirmação falsa quando o oponente não quer admitir as verdadeiras, seja porque ele não entende sua verdade ou porque entende que se aceita-las, a sua argumentação será aceita por todos. Nesse caso, tomam-se as afirmações falsas por si, mas verdadeiras *ad hominen*, e argumenta-se conforme a maneira de pensar do oponente, *ex concessis*. Pois a verdade pode surgir também de afirmações falsas: ao mesmo tempo que as falsas nunca podem surgir das verdadeiras. Mesmo assim é possível refutar as afirmações falsas do opositor por meio de outras afirmações falsas que ele considera verdadeiras. Neste caso, temos de adaptar ao estilo de pensamento dele. Por exemplo, se ele é seguidor de uma seita da qual não conjugamos do mesmo pensamento, podemos usar as opiniões dessa seita contra ele, como princípios. Aristóteles, *Tópicos*, VIII, 9.

Use as premissas do seu oponente contra ele

O campo político é repleto de situações como essa. Abaixo um exemplo clássico.

ESTRATÉGIA 6

Mude as palavras do oponente para confundi-lo

FAZ-SE UM *PETITIO PRINCIPII* VELADO, NO QUAL SE postula o que se quer tanto refutar. **1.** Sob outro nome, por exemplo em vez de honra, boa reputação; em vez de virgindade, virtude, e assim por diante. Ou com conceitos intercambiáveis: animais de sangue vermelho em vez de vertebrados. Ou **2.** Fazendo uma pressuposição geral sobre o ponto específico em discussão. Por exemplo, defender a insegurança da medicina ao postular a insegurança de todos os conhecimentos humanos. **3.** Se, vice-versa, duas afirmações resultam uma da outra, e uma precisa ser provada, deve-se postular a outra. **4.** Se uma afirmação geral precisa ser provada, deve-se fazer o oponente admitir todas as suas particularidades. Essa estratégia é o oposto

58

da número 2. Aristóteles, *Tópicos*, VIII, 11. O último capítulo dos *Tópicos* de Aristóteles apresenta boas regras sobre o exercício da dialética.

ESTRATÉGIA 7

Faça o oponente concordar de forma indireta

QUANDO A DISPUTA SE DESENROLA DE MANEIRA um tanto rigorosa e formal e se deseja claramente chegar a um acordo, então quem fez as afirmações e quer prová-las deve agir contra o oponente, colocando-lhe questões para demonstrar a verdade a partir de suas conclusões. Esse método erotemático (também chamado de socrático) foi especialmente utilizado pelos antigos. O mesmo se aplica a esta estratégia e a algumas a seguir. (Todas adaptadas livremente do capítulo 15 de *Liber de elenchis sophisticis*, de Aristóteles.)

A ideia é fazer muitas perguntas amplas de uma vez para esconder o que se quer que o oponente admita e, além disso, apresentar rapidamente o argumento resultante de suas admissões; assim, quem é

60

lento para compreender não consegue acompanhar com exatidão e deixa passar os possíveis erros ou falhas na demonstração.

ESTRATÉGIA 8

Desestabilize o oponente

AO PROVOCAR RAIVA O OPONENTE SAI FORA DE seu equilíbrio e racionalidade para julgar corretamente e perceber a própria vantagem. É possível fazê-lo ficar com raiva por meio de repetidas injustiças, de algum tipo de truque e pela insolência.

Use a exceção para destruir a tese

(ou destruir inúmeros grandes feitos por uma única acusação para desqualificar a honra)

Considerado o grande herói contra a corrupção no país, Sérgio Moro é atacado por site que divulga textos que afirmam ser troca de conversas com procuradores da operação Lava Jato. Apesar de serem dados obtidos de forma criminosa, começaram a criticar sua possível parcialidade, como se isso fosse suficiente para anular todos os crimes praticados por quem ele condenou.

ESTRATÉGIA 9

Disfarce seu objetivo final

AS PERGUNTAS QUANDO NÃO SÃO FEITAS NA OR-
dem que levaria a uma conclusão possível podem levar a uma confusão muito grande. O oponente não
sabe aonde você quer chegar e não pode se precaver.
Também é possível usar suas respostas para tirar diferentes conclusões, até contrapô-las, de acordo com
suas características. Isto está relacionado à estratégia
número 4, segundo a qual se deve mascarar as próprias ações.

ESTRATÉGIA 10

Use a psicologia da negação

QUANDO SE PERCEBE QUE O OPONENTE NEGA DE
maneira proposital (e infantil) as afirmações cuja
aprovação seria usada para a nossa frase, deve-se
perguntar o oposto da oposição utilizada, como se
estivéssemos ansiosos por sua aprovação; ou deve-
-se pelo menos apresentar as duas para escolha, para
que ele então não perceba qual frase queremos que
seja aprovada.

ESTRATÉGIA 10

Use a psicologia da negação

Quando o óbvio é apontado e o oponente nega de maneira proposital.

ESTRATÉGIA **11**

Tome um conceito geral para o caso particular

FAZ-SE UMA INDUÇÃO E O OPONENTE CEDE EM casos individuais, pelos quais ela deve ser apoiada. Então não se deve perguntar a ele se também admite a verdade em geral que surge desses casos, mas sim introduzi-la depois como estabelecida e reconhecida. Nesse meio-tempo, ele próprio vai passar a acreditar que a admitiu, e isso vai acontecer também com os ouvintes, porque vão se lembrar das diversas perguntas sobre cada caso específico e vão supor que elas devem, claro, ter alcançado seu objetivo.

ESTRATÉGIA 12

Uso sutil dos vocábulos — renomeie as mesmas palavras

SE A DISCUSSÃO FOR SOBRE UM CONCEITO GERAL, que não tem um nome específico e precisa ser descrito por meio de uma parábola, deve-se escolher a parábola que favorece nossa afirmação. Por exemplo, mencionam-se os nomes que descrevem os dois partidos políticos da Espanha: servis e liberais, nomes escolhidos obviamente pelos últimos. O nome "protestantes" é escolhido por eles mesmos, assim como "evangélicos", mas a palavra herege foi escolhida pelos católicos. Isso se aplica também aos nomes de coisas, no que faz mais sentido: por exemplo, o oponente propõe alguma alteração, então a chamamos de "subversão", pois a palavra tem conotação negativa. Fazemos o contrário quando nós mesmos é que fazemos a sugestão. No primeiro caso, pode-se chamar a contraposição de "ordem existente", no segundo de "ordem opressora". O que pode ser chamado de maneira imparcial e involuntária de "culto" ou "ensinamento público da fé" é chamado de "devoção", "religiosidade" por um seguidor; e de "fanatismo" ou "superstição" por um oponente. No fundo, esse é um *petitio principii* perfeito: o que alguém quer provar é afirmado no início da definição, da qual resulta um simples julgamento analítico. O que alguém chama de "garantir a segurança de uma pessoa" ou "colocar sob custódia", seu oponente chama de "prender". Um orador muitas vezes revela sua intenção pelos nomes que dá às coisas. Um diz "o clero" e o outro diz "os padres". De todos os truques, esse é o mais utilizado, de maneira instintiva. Excesso de fé = fanatismo; passo em falso ou caso amoroso = adultério; ambiguidade = obscenidade; desequilíbrio econômico = bancarrota; pela influência e pela ligação = pela corrupção e pelo nepotismo; reconhecimento sincero = bom pagamento.

ESTRATÉGIA 13

Apresente uma segunda opção inaceitável

PARA FAZER COM QUE O OPONENTE ACEITE UMA
afirmação, deve-se dar a contrária também e deixá-lo escolher; e essa afirmação contrária deve ser articulada muito claramente para que não se contradiga e ele aceite a sua afirmação, que é feita de maneira a parecer bastante provável em relação a outra. Por exemplo: se o objetivo é fazê-lo admitir que alguém deve fazer tudo o que o seu pai lhe diz; então perguntamos: "Deve-se obedecer ou desobedecer aos pais acima de todas as coisas?". Ou caso se afirme que uma coisa acontece com frequência, então perguntamos se por frequente compreendemos poucos ou muitos casos; ele dirá "muitos". É como quando ao se colocar o cinza perto do preto, ele pode ser chamado de branco; e quando ele é colocado perto do branco, pode ser chamado de preto.

ESTRATÉGIA 14

Acuando os tímidos

É UM GOLPE INSOLENTE A SITUAÇÃO EM QUE, DE-
pois de o oponente ter respondido a muitas perguntas sem que as respostas dessem o benefício de uma
conclusão favorável que se esperava, nós nos preci-
pitamos para a conclusão desejada — apesar de ela
não ser uma consequência da afirmação —, como se
tivesse sido provada, e proclamá-la em tom triunfante. Se o oponente é tímido ou burro, e se quem ataca é
atrevido e tem boa voz, pode-se conseguir ter razão.
Isso pertence à *fallacia non causae ut causae* [ilusão por
meio da pressuposição da prova sem a prova].

ESTRATÉGIA 15

Utilize paradoxos — para situações difíceis

QUANDO SE FAZ UMA AFIRMAÇÃO PARADOXAL E achamos difícil prová-la, apresenta-se ao oponente uma afirmação correta para ele aceitar ou rejeitar, mas cuja verdade não seja muito palpável, como se quiséssemos tirar provas dela. Se ele recusar por suspeitar de um truque, então a levamos *ad absurdum* e ganhamos; mas se ele aceitá-la, então teremos dito alguma coisa inteligente e teremos de ver o que vai acontecer. Ou acrescentamos a estratégia anterior e assim garantimos que nosso paradoxo seja comprovado. Trata-se de uma insolência imensa, mas isso acontece por experiência, e existem pessoas que praticam tudo isso de maneira instintiva.

ESTRATÉGIA 16

Desqualifique o argumento do outro

ARGUMENTA AD HOMINEN OU EX CONCESSIS.
Diante de uma afirmação do oponente, deve-se
tentar procurar alguma inconsistência — mesmo
que seja apenas aparente — em relação a alguma
outra afirmação que ele fez ou admitiu, ou com os
princípios da escola ou da crença que ele tenha elo-
giado e aprovado, ou com as ações de quem apoia
a mesma crença, ou daqueles que dão a ela um
apoio apenas aparente ou falso, ou com suas próprias ações ou desejo de ação. Se ele defende, por
exemplo, o suicídio, então exclame: "por que então
você não se enforca?". Ou se ele afirma, por exemplo, vivendo em Berlim, que a cidade é um lugar
muito desagradável para morar, poderia lhe dizer
em seguida: "Por que você não vai logo embora no

primeiro trem?". Sempre é possível usar esse tipo de truque, de desacreditar a crença do oponente contradizendo-o com suas ações.

ESTRATÉGIA 17

Faço uso da dupla interpretação

QUANDO O OPONENTE PRESSIONA COM UMA CON-
traevidência, podemos nos salvar por meio de uma
diferenciação sutil, algo que não tínhamos pensan-
do antes. Este recurso pode ser utilizado quando a
questão permite um outro significado ou uma dupla
interpretação.

ESTRATÉGIA 18

Mude o curso; interrompa antes da perda certa.

SE OBSERVAMOS QUE O OPONENTE INICIA UMA AR-gumentação com a qual vai nos derrotar, não se deve deixar que ele chegue a sua conclusão, ou seja, não se deve permitir que ele chegue ao fim. Deve-se interromper o andamento da discussão em um bom momento, retirando-se, distraindo-o ou levando a discussão para outras pessoas. Em resumo, realizar uma *mutatio controversiae*. (Veja a estratégia 29.)

ESTRATÉGIA 19

Desfoque; depois encontre uma brecha

SE O OPONENTE NOS DESAFIAR DE MANEIRA EX-
pressa e fizer uma objeção contra algum ponto específico de nossa afirmação, contra o que não temos nada a dizer, então precisamos utilizar a generalização e devolver o ataque da seguinte forma: Se somos chamados a dizer por que determinada hipótese da física não pode ser aceita, devemos falar sobre a ilusão do conhecimento humano e citar vários exemplos.

ESTRATÉGIA 20

Não arrisque num jogo ganho

QUANDO JÁ HOUVER TESTADO AS PREMISSAS COM o oponente e ele as aceitou, não se deve buscar esta confirmação novamente, e sim apresentá-las como verdades absolutas. E mesmo que falte uma ou outra premissa, deve-se considerar que também estas foram admitidas, e partir para a conclusão. O que não deixa de ser um uso da *fallacia non causae ut causae*.

ESTRATÉGIA **21**

Use as mesmas armas

COM UM MERO ARGUMENTO APARENTE OU SOFÍS-
tico do oponente, podemos resolver isso por meio de
uma discussão de sua estranheza e superficialidade;
mas é melhor responder a ele com contra-argumen-
tos aparentes e sofísticos e assim acabar com ele. Disso depende não a verdade, mas a vitória. Se ele dá,
por exemplo, um *argumentum ad hominem*, é suficiente invalidá-lo com um contra-argumento *ad hominem*
(ex concessis). E, em vez de estabelecer o estado verdadeiro da questão, caso ele se apresente, optar por esse
caminho costuma encurtar a discussão.

ESTRATÉGIA 22

Reduza a força do argumento principal

SE O OPONENTE EXIGE QUE SE ADMITA ALGO QUE é decorrente exatamente do ponto em discussão, então nos recusamos a fazê-lo ou permitir que ele continue, declarando que aquilo é uma *petitio principii (petição de princípio)*, redundante e já está resolvido. Ele e os ouvintes perceberão uma afirmação próxima do ponto de discussão como se fosse idêntica, e assim você o privará de seu melhor argumento.

A contradição

Deputada antiarmas, que prega o fim da Polícia Militar, afirma estar correndo perigo de vida e solicita escolta armada da Polícia Militar.

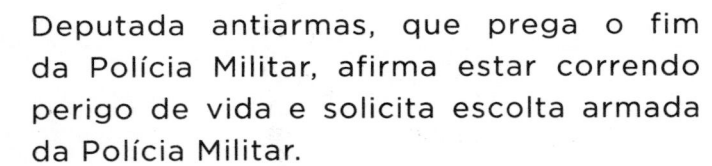

ESTRATÉGIA 23

Provoque o oponente

A CONTRADIÇÃO E A BRIGA ESTIMULAM O EXAGERO das afirmações. Podemos estimular o oponente por meio da contradição e levar uma afirmação além dos seus próprios limites, afirmação essa que fora desses limites pode deixar de ser verdadeira. E quando refutamos esse exagero é como se refutássemos sua frase original. Por outro lado, temos de tomar cuidado para não ser levados por contradições ao exagero ou a ampliar sua própria afirmação. Muitas vezes, o próprio oponente procura diretamente ampliar nossa afirmação para além do que pretendíamos. É preciso impedi-lo logo e trazê-lo de volta ao limite da afirmação: "Foi o que eu disse e nada mais".

ESTRATÉGIA 24

Torne a alegação do outro inconsistente

O OPONENTE FAZ UMA AFIRMAÇÃO, E POR MEIO
de falsas inferências e distorções de suas ideias, extraímos dela outras afirmações que ela não contém e que ele não quis dizer de jeito nenhum, ou melhor, que são absurdas ou perigosas. Assim parece que a primeira afirmação deu origem a outras que são inconsistentes consigo mesmas ou com algum reconhecimento da verdade, então ela parece ser refutada de maneira indireta. A apagogia é uma nova utilização da *fallacia non causae ut causae.*

85

ESTRATÉGIA 25

Use a exceção para destruir a tese

ISSO TEM A VER COM A APAGOGIA POR MEIO DE uma instância *exemplum in contrarium*. A επαγωγη, *inductio*, exige uma grande quantidade de casos para estabelecer uma afirmação universal. Mas a apagogia precisa de apenas um único caso, ao qual não se aplica a afirmação, para derrubá-la. Esse é um método controverso conhecido como instância, ενστασις *exemplum in contrarium, instantia*. Por exemplo, a sentença "todo ruminante tem chifres" é derrubada pela única instância do camelo.

A instância é um caso da aplicação da verdade generalista, e algo não universalmente verdadeiro é inserido em sua definição fundamental, o que a torna inválida. Entretanto, é possível que haja enganos, e devemos atentar para o seguinte em relação às ins-

86

tâncias que o oponente pode criar: **1.** Se o exemplo é realmente verdadeiro, pois existem problemas cuja única solução real é que o caso em questão não seja verdadeiro — por exemplo, muitos milagres, histórias de fantasmas e assim por diante; **2.** Se ele realmente pertence ao conceito da verdade assim apresentada, pois se apenas aparenta pertencer, então a questão deve ser é resolvida com distinções precisas; **3.** Se ele realmente contradiz a verdade apresentada: muitas vezes isso também é apenas aparente.

ESTRATÉGIA 26

Reforce um aspecto no oponente; depois destrua o seu valor.

UM GOLPE BRILHANTE É O *RETORSIO ARGUMENTI*: quando o argumento que o oponente quer usar para si poderá ser mais bem usado contra ele. Por exemplo, ele diz: "trata-se de uma criança, deve-se dar um desconto". *Retorsio*: "Mesmo por ser uma criança, devemos puni-la, para que ela não insista em seus hábitos ruins".

ESTRATÉGIA **27**

Deixe o seu oponente desequilibrado

SE O OPONENTE FICA BRAVO DE MANEIRA INES-perada com um argumento, então deve-se insistir nele com mais afinco, não simplesmente por ser bom deixá-lo com raiva, mas porque se supõe que o ponto fraco de uma linha de pensamento foi atingido e que nesse ponto o oponente está mais vulnerável para ser atacado.

ESTRATÉGIA 28

Ganhe a simpatia da audiência e ridicularize o adversário

ESTE É ESPECIALMENTE APLICÁVEL QUANDO PES-
soas cultas discutem diante de uma plateia leiga.
Quando não se tem nenhum *argumentum ad rem* nem
mesmo um *ad hominem*, então se faz um *ad auditores*,
isto é, uma objeção inválida, cuja falta de validade
apenas um especialista consegue ver: o oponente,
mas não a plateia. E para ela, ele foi derrotado, em
especial quando a objeção à afirmação dele é tratada
como algo ridículo. As pessoas estão prontas para rir
e temos o riso como nosso aliado. Para demonstrar
a nulidade da objeção, o oponente precisaria não só
de uma longa discussão como também retornar aos
princípios da ciência ou outros assuntos; e para isso
ele não encontra ouvintes com facilidade.

Por exemplo, o oponente diz "na formação original dessa cordilheira, o granito e outros elementos

de sua composição foram transformados em fluido por causa da alta temperatura — o calor deveria ser de 250°C, e quando a massa se cristalizou foi coberta pelo mar". Usamos o *argumentum ad auditores*, de que nessa temperatura, na verdade qualquer uma acima de 100°C, o mar já teria fervido faz tempo e se transformado em vapor no ar. Os ouvintes riem. Para refutar a objeção, ele precisaria demonstrar que o ponto de ebulição não depende apenas da temperatura, mas também da pressão da atmosfera, e ainda que cerca de metade da massa do mar tivesse se transformado em vapor, a pressão teria aumentado tanto que o volume restante não poderia ferver nem mesmo a 250°C. Mas ele não alcançaria a plateia com uma explicação dessas, pois, antes disso, ele teria de explicar física a não físicos.

ESTRATÉGIA **29**

Não se importe em fugir do assunto se estiver a ponto de perder

SE PERCEBEMOS QUE SEREMOS GOLPEADOS, FA-zemos um desvio, isto é, começamos de repente a falar de algo completamente diferente, como se tivesse a ver com a questão discutida e fosse um argumento contra o oponente. Isso pode ser feito sem presunção quando o desvio tem, na verdade, alguma relação geral com a questão; mas pode ser tomado como uma insolência se não tem nada a ver com o assunto, e só é levantado para atacar o oponente.

Por exemplo, eu elogio o fato de que na China não há nobreza por nascimento e os cargos são distribuídos mediante provas de capacidade intelectual. Meu oponente defende que a erudição não torna uma pessoa mais competente para um cargo que a vantagem de um nascimento nobre (a qual admira). Discutimos e ele se sai mal. Assim ele faz um desvio, dizendo que na China cidadãos de todas as classes eram punidos com bastões, o que ele relaciona com o grande consumo de chá e acusa os chineses das duas coisas. Segui-lo nisso significaria ser levado a abrir mão de uma vitória já ganha.

O desvio é insolente quando o assunto em questão é completamente abandonado e suscita, por exemplo, objeções como: "Sim, você acabou de afirmar isso" e assim por diante. Então o argumento vai de algum modo para o "lado pessoal", do tipo que será tratado na última seção. A rigor, esse é um ponto intermediário entre o *argumentum ad personam*, que lá será discutido, e o *argumentum ad hominem*.

Essa estratégia é tão instintiva que pode ser vista em todas as discussões entre pessoas comuns. Se uma pessoa faz um comentário pessoal contra a outra, esta, em vez de responder por meio da refutação, deixa como está — como se admitisse — e responde fazendo algum outro tipo de comentário sobre o oponente. Ela faz como Cipião, que atacou os cartagineses não na Itália, mas na África. Na guerra, tal desvio pode ser útil em determinados momentos. Em discussões, ele é ruim, pois o comentário permanece, e quem olha de fora escuta o pior que pode ser dito a respeito das duas partes. Esta é uma estratégia que deve ser usada apenas *faute de mieux* [na falta de coisa melhor].

ESTRATÉGIA 30

Aposte em credenciais e acue a todos

O **ARGUMENTUM AD VERECUNDIAM** [SOBRE O RES-peito ao argumento utilizado]. Em vez de motivos, utiliza-se a autoridade, conforme o grau de conhecimento do oponente. *Unusquisque mavult credere quam judicare* [todos irão preferir acreditar do que julgar], diz Sêneca [*De vita beata*, 1, 4]; assim o jogo é mais fácil quando se tem uma autoridade que o oponente respeita. Por isso, quanto mais limitados forem seus conhecimentos e habilidades, maior é o número de autoridades que pesam sobre ele. Mas, se seus conhecimentos e habilidades forem muitos, daí serão poucas; na verdade, quase nenhuma. Ele pode, talvez, admitir a autoridade de um profissional versado em uma ciência, uma arte ou um ofício sobre o qual ele pouco sabe; mas mesmo assim olhará com suspeitas.

Por outro lado, pessoas comuns têm profundo respeito por homens de todos os tipos. Eles não sabem que um homem que faz da coisa que ama sua profissão não a exerce pela coisa em si, mas pelo dinheiro que recebe; ou, na maioria dos casos, é raro um homem que ensine uma disciplina a conheça bem, pois se fosse um profundo estudioso não teria tempo para ensinar. Mas existem muitas autoridades que gozam do respeito da multidão, e se você não tiver nenhuma que seja adequada, pode pegar uma que assim se pareça; ou você pode citar o que alguém disse em outro sentido ou em outras circunstâncias. Os leigos têm um respeito peculiar por um floreio em grego ou em latim. Também é possível, se necessário, não só forçar a importância dessas autoridades, mas falsificá-las, ou citar alguma coisa completamente inventada: a maioria das pessoas não está com o livro por perto e também não saberia como lidar com ele se o tivesse. O melhor exemplo disso é dado pelo pároco francês que, recusando-se a ser obrigado a pavimentar a rua em frente a sua casa como os outros moradores, citou um ditado que disse ser bíblico: *paveant illi, ego non pavebo* [todos podem tremer, eu não vou tremer]. Isso convenceu os responsáveis pela cidade que confundiu a pronúncia em latim com o seu sentido em francês, paver, de pavimentar. Preconceitos em geral também são utilizados como autoridade. A maioria das pessoas pensa como Aristóteles ά μεν πολλοις δοκει ταυτα γε εινειφαμεν [o que parece muito certo, dizemos que está certo]. Sim, não existe ideia, por mais absurda que seja, que as pessoas não tomem como suas com tanta facilidade e tão logo se convençam de que tal coisa é adotada de maneira geral. O exemplo lhes influencia o pensamento e as ações. São ovelhas que seguem o pastor aonde ele for: para elas é mais fácil morrer do que pensar. É muito curioso que a universalidade de um pensamento tenha tanto peso sobre as pessoas, é como se sua própria experiência lhes dissesse que sua aceitação é um processo sem questionamento e por imitação. Mas essa visão crítica não lhes diz nada, pois elas não têm praticamente nenhum autoconhecimento. Apenas os mais sofisticados estão com Platão quando ele diz τοις πολλοις πολλα δοκει [Muitas pessoas têm muitas ideias], isto é, os leigos têm muitas besteiras na cabeça, e se quiséssemos dar atenção a elas, teríamos muito que fazer.

A universalidade de uma ideia, para falar a verdade, não prova nada, nem mesmo é motivo de probabilidade de sua validade. Aqueles que defendem isso devem assumir que **1.** A distância no tempo priva qualquer universalidade de sua força demonstrativa; se fosse o contrário, todos os velhos erros que

96

uma vez foram tomados universalmente como verdadeiros seriam lembrados. Por exemplo, o sistema ptolomaico precisaria ser restabelecido, ou o catolicismo em todos os países protestantes; **2.** Que a distância espacial tem o mesmo efeito, senão a universalidade respectiva de uma opinião entre os seguidores do budismo, do cristianismo e do islamismo os poriam em apuros. (Segundo Bentham, *Tactique des assemblées législatives*, vol. II, p. 76.)

O que se chama de pensamento universal, visto à luz, é o pensamento de duas ou três pessoas; e seríamos convencidos disso se pudéssemos ver como realmente surgem esses pensamentos. Descobriríamos então que existem duas ou três pessoas que a princípio os aceitaram, promoveram ou defenderam; e que foram tão boas a ponto de se confiar que os testaram muito bem. Então, convencidas de antemão de que estas tinham capacidade, algumas outras pessoas também aceitaram a opinião. Estas, por sua vez, receberam a confiança de muitos outros, cuja preguiça lhes sugeriu que era melhor acreditar de uma vez do que ter o trabalho de testar a questão por si mesmas. Assim, dia após dia, cresce o número de tais preguiçosos e seguidores crédulos; então logo a opinião tem um bom número de defensores, e os seguidores atribuem isso ao fato de que tal opinião só poderia ser obtida pela convicção de seus argumentos. Os que ainda tivessem dúvidas eram compelidos a validar o que era admitido universalmente, para não passarem por cabeças-duras que resistem às opiniões validadas pela maioria, ou por pessoas rudes que querem ser mais espertas que o resto do mundo. Agora, aderir, torna-se uma obrigação. A partir deste ponto, os poucos que são capazes de julgar se calam. E quem se aventura a falar é completamente incapaz de ter ideia ou julgamento próprios, simplesmente ecoam a opinião alheia; e mesmo assim a defendem com grande zelo e ignorância. Pois o que elas odeiam nas pessoas que pensam de outra maneira não são as ideias que elas professam, mas a pressuposição de que querem julgar as coisas por si mesmas, o que elas mesmas nunca fazem e disso são conscientes. Em resumo, poucos conseguem pensar, mas todos querem ter opiniões — o que resta a não ser pegá-las prontas dos outros em vez de formar as suas próprias? Como é isso o que acontece, qual o valor da voz de centenas de milhões de pessoas? Tanto quanto um fato histórico presente em centenas de relatos que comprovadamente plagiaram uns aos outros, a opinião pode ser rastreada até uma única fonte. (Segundo Bayle, *Pensées sur les Comètes*, v. I, p. 10.)

Dico ego, tu dicis, sed denique dixit et ille
Dictaque post toties, nil nisi dicta vides.

[Eu digo isso, você diz isso, e finalmente todos também dizem isso. Diz-se isso com tanta frequência que não se vê nada além do que foi dito.]

Mesmo assim, pode-se usar a opinião universal como autoridade na discussão com pessoas comuns. Pois em geral se vai descobrir que quando duas cabeças comuns brigam entre si, na maioria das vezes ambas escolhem a arma da autoridade, e com isso atacam-se mutuamente. Se alguém com cabeça melhor precisar lidar com eles, então é aconselhável que se esforce para usar essa arma e escolha as autoridades de acordo com a parte frágil do oponente. Pois, *ex hypothesi*, ele é insensível a todos os argumentos racionais assim como um Siegfried com chifres escondidos, mergulhado na maré da incapacidade de pensar e de julgar.

Diante de um tribunal, só há a disputa entre autoridades e afirmações de autoridade, quer dizer, exercício do julgamento consiste em descobrir que lei ou autoridade se aplica ao caso em questão. Há, no entanto, espaço suficiente para a dialética; pois se o caso em questão e a lei não combinarem de verdade, podem, se necessário, serem distorcidos até parecerem combinar, ou vice-versa.

ESTRATÉGIA 31

Complique o discurso
de seu oponente

QUANDO NÃO TIVER NADA PARA CONTRADIZER OS
argumentos defendidos pelo oponente, declare-se
incompetente com um toque de ironia. "O que você
diz agora ultrapassa meu fraco poder de compreensão: pode estar certo; só que não consigo entender,
e me contenho para expressar qualquer opinião a
respeito." Dessa maneira você insinua aos presentes,
com quem você tem boa reputação, que o que seu
oponente diz é besteira. Assim, quando a *Crítica da
Razão Pura* de Kant foi publicada, ou melhor, quando
começou a fazer barulho, muitos professores de ve-
lhas escolas ecléticas declararam não compreendê-la,
na esperança que seu fracasso resolvesse a questão.
Mas quando alguns seguidores da nova escola mos-
traram a eles que tinham razão e eles realmente é

quem não tinham entendido, eles ficaram de muito mau humor.

Deve-se utilizar o truque só quando se tem certeza de que os ouvintes o têm em melhor estima do que a seu oponente. Por exemplo, um professor contra seus estudantes. Na verdade, isso pertence à estratégia anterior: trata-se de afirmar de forma particularmente maliciosa a própria autoridade em vez de apresentar argumentos. O contra-ataque é dizer: "Desculpe-me, deve ser fácil para você compreender isso com seu penetrante intelecto. E, a culpa é minha por conta da péssima apresentação que fiz do assunto"; e continuar a esfregar a coisa facilitada na cara do oponente de modo que ele compreenda e fique bem claro que era tudo culpa dele. Assim nos esquivamos do ataque: ele quis apenas insinuar que estávamos dizendo "besteira", e nós provamos que ele é "ignorante no assunto". Tudo com a maior gentileza.

Invalide a teoria pela prática

O uso da dialética não é exclusivo da manipulação maldosa, mas também para situar uma opinião com base em informações estatísticas, por exemplo, a morte de mulheres pobres que realizam aborto de forma precária.

O ABORTO É PERMITIDO NO BRASIL PARA QUEM TEM DINHEIRO. A MULHER POBRE PRECISA PROVAR QUE FOI ESTUPRADA OU ESTAR À BEIRA DA MORTE PARA PODER FAZER.

Dr. Dráuzio Varella

Drauzio apresenta a contradição da lei que proíbe o aborto, afirmando que ele, na prática, é "permitido", porque é realizado largamente por quem pode pagar o procedimento numa clínica. E nos propõe várias conclusões, dentre elas: se há décadas o aborto é praticado, mesmo burlando leis, é porque há uma grande parcela da população que acredita ter esse direito ou não aceita os fundamentos que lhe nega este direito.

ESTRATÉGIA 32

"Cole" um sentido ruim na alegação do outro

SE SOMOS CONFRONTADOS COM UMA AFIRMAÇÃO do oponente, há um caminho curto para se livrar disso ou pelo menos torná-la suspeita, colocando-a em alguma categoria odiosa, mesmo se a ligação for apenas aparente ou até sutil. Por exemplo, "Isso é maniqueísmo", "arianismo", "pelagianismo", "idealismo", "spinozismo", "panteísmo", "brownianismo", "naturalismo", "ateísmo", "racionalismo", "espiritualismo", "misticismo", e assim por diante. Com isso presumimos duas coisas: **1.** Que cada afirmação realmente se identifica ou pelo menos se encaixa em cada categoria, então exclamamos: "Ah, já sabíamos!"; e **2.** Que sob essas categorias pesam uma qualidade ruim e não contêm nenhuma palavra válida.

ESTRATÉGIA 33

Invalide a teoria pela prática

"O QUE PODE ESTAR CERTO NA TEORIA NA PRÁTI-ca está errado." Por meio desse sofisma aceitam-se as premissas mas nega-se a conclusão: em contradição com a regra *a ratione ad rationatum valet consequentia* [do motivo à consequência, vigora a consequência]. Essa afirmação baseia-se em uma impossibilidade: o que em teoria está certo deve valer também na prática; se não valer, então existe um erro na teoria, alguma coisa não foi percebida e não foi levada em consideração, portanto isso está errado também na teoria.

ESTRATÉGIA 34

Encontre e explore o ponto fraco

QUANDO O OPONENTE NÃO DÁ UMA RESPOSTA OU informação direta para uma pergunta ou argumento, mas evade-se por meio de outra pergunta ou de uma resposta indireta, ou faz alguma afirmação que não tem a ver com a questão, e, em geral, tenta mudar de assunto, isso é um sinal (mesmo sem que ele saiba) de que encontramos um ponto fraco: há certo silêncio da parte dele. Portanto devemos insistir no ponto que propusemos e não deixar o oponente fugir dele; mesmo quando ainda não descobrimos de que realmente se trata a fraqueza que encontramos.

ESTRATÉGIA 35

Mostre ao seu oponente que está lutando contra os próprios interesses

EIS UMA ESTRATÉGIA QUE SE FOR POSSÍVEL PÔR em prática tornará todos as outras desnecessárias. Em vez de agir sobre o intelecto por meio de argumentos, age-se sobre a vontade do oponente e dos ouvintes como se fossem motivos; e se o oponente e os ouvintes têm o mesmo interesse, logo serão conquistados por nossa opinião, mesmo que ela tenha sido tirada do manicômio; em geral, cinco gramas de vontade pesam mais do que cinquenta quilos de conhecimento e convicção. É verdade que isso funciona só em circunstâncias especiais. Se conseguíssemos que o oponente percebesse que a opinião dele, se comprovada, arruinaria seus interesses, então ele abriria mão dela tão rápido como se estivesse segurando ferro quente sem querer. Por exemplo, um clérigo defende um dogma filosófico: fazemos que ele veja que isso contradiz indiretamente um dogma fundamental de sua igreja, e ele vai abrir mão dele.

Um proprietário de terras ressalta a superioridade das máquinas na Inglaterra, onde uma máquina a vapor faz o trabalho de muitas pessoas. Deve-se fazê-lo entender que assim que os carros forem puxados por máquinas a vapor, o valor dos numerosos cavalos de seu haras também deve cair — e veremos o que acontece. Nesses casos, todos sentem como é duro sancionar uma lei injusta consigo mesmo: *Quam temere in nosmet legem sancimus iniquam* [com que irresponsabilidade criamos uma lei injusta conosco].

O mesmo acontece quando os ouvintes pertencem à mesma seita, sociedade, indústria, clube etc. que nós, mas não o oponente. Não devemos nunca permitir que a tese dele seja verdadeira. Assim que percebermos que ela contraria os interesses gerais dos participantes dessa sociedade ou coisa parecida, todos os ouvintes acharão que os argumentos do oponente são fracos e abomináveis, por mais excelentes que sejam, e os nossos, apropriados e corretos, ainda que tirados do ar. O coro se pronunciará em voz alta a nosso favor, e o oponente sairá de campo envergonhado. Na maioria das vezes, os ouvintes acreditarão ter votado segundo sua plena convicção.

O que não é de nosso interesse parece absurdo ao intelecto na maioria das vezes. *Intellectus luminis sicci non est recipit infusionem a voluntate et affectibus.* [O intelecto não é uma luz que queima sem óleo, mas que se alimenta das paixões.] Esta estratégia poderia ser descrita como "colher a árvore pela raiz", mas é comumente chamada de *argumentum ab utili.*

ESTRATÉGIA 36

Confunda e assuste o oponente com palavras complicadas

E ISSO SE BASEIA NO FATO DE QUE:

Gewöhnlich glaubt der Mensch, wenn er nur Worte hört
Es müsse sich dabei doch auch was denken lassen.

[Normalmente as pessoas só acreditam quando ouvem palavras. Ali também deveria haver algo para refletir a respeito.] Goethe, em Fausto.

Quando ele secretamente tem consciência de suas fraquezas, então está acostumado a ouvir muitas coisas que não entende e fingir que as entende; pode-se então impressioná-lo com besteiras que parecem profundas e eruditas, e que o destituam de sua audição, visão e pensamento; e usar isso como a prova mais irrefutável do que afirmamos. É fato conhecido que alguns filósofos utilizaram esses truques com brilhante sucesso até diante de todo o público alemão. Mas como isso é um exemplo odioso, queremos pegar um exemplo mais antigo de Goldsmith, em *The Vicar of Wakefield*:

"Certo, Frank", grita o senhor de terras, "eu queria sufocar com esta taça, mas uma boa moça vale mais que todo o sacerdócio da Criação. Todos os seus décimos e truques não passam de uma fraude planejada, uma enganação dos diabos e posso provar." "Eu gostaria que o senhor o fizesse", clama meu filho Moisés, "e acredito", continua, "que eu deveria estar em condições de responder ao senhor." "Excelente, meu senhor", diz o senhor de terras, que sem mais delongas solta fumaça em sua cara e pisca para o restante da companhia, para nos preparar para uma piada: "Se vocês estão dispostos a uma discussão tranquila sobre o assunto, então estou pronto para aceitar o desafio. E primeiro: vocês são a favor de um tratamento analógico ou dialógico?". "Eu sou a favor de um tratamento racional", diz Moisés, todo satisfeito por ter encontrado a possibilidade de discutir. "Ótimo", disse o senhor de terras, "e antes de tudo, espero eu, o senhor não vai negar, que tudo o que é, é: se o senhor não garantir isso para mim, não posso prosseguir." "Tudo bem", responde Moisés, "acho que posso garantir isso, e tirar o melhor proveito." "Assim também espero", replicou o outro, "o senhor vai garantir que uma parte é menor que o todo." "Também garanto isso", disse Moisés, "nada mais certo e razoável." "Eu espero", disse o senhor de terras, "que o senhor não negue que os três ângulos de um triângulo são iguais a dois ângulos retos." "Nada pode ser mais claro", replica o outro e olha em volta com seu habitual ar de importância. "Muito bem", diz o senhor de terras, falando muito rápido, "as premissas estão então definidas, prossigo para chamar a atenção, de que a concatenação das atuais existências, que progride em uma proporção dupla e recíproca, leva naturalmente a um dialogismo problemático, o que em certo grau prova que a essência da espiritualidade se aplica ao segundo predicado." "Pare, pare", diz o outro, "isso eu nego. O senhor acredita que posso me submeter de maneira obediente a tais proposições tão heterodoxas?" "O quê?", responde o senhor de terras como se estivesse furioso, "não se submeter! Responda-me uma única pergunta clara. O senhor acredita que Aristóteles tem razão quando diz que os parentes estão relacionados?" "Sem dúvida", responde o outro. "Se isso é assim, então", diz o senhor de terras, "responda exatamente à minha pergunta: o senhor considera minha pesquisa analítica da primeira parte do meu entimema (argumento) insuficiente *secundum quoad* ou *quoad minus*? E me diga os seus princípios, e agora mesmo." "Isso eu preciso recusar", diz Moisés, "e não compreendo direito o que a sua discussão quer provar; mas se o senhor retornar a uma única e simples afirmação, posso lhe dar a resposta." "Ah, meu senhor", diz o senhor de terras, "sou o seu humilde servo; mas percebo que o senhor quer que eu o equipe com argumentos e compreensão de lambuja. Não, meu senhor, eu protesto, o senhor é muito difícil para mim."

Isso despertou uma risada alta contra o pobre Moisés, que era a única figura infeliz dentre um grupo de rostos satisfeitos; ele também não disse mais uma sílaba durante todo o divertimento. [Do capítulo 7.]

ESTRATÉGIA 37

Destrua a tese boa pela prova frágil

(QUE DEVERIA SER UMA DAS PRIMEIRAS.) QUANDO o oponente também tem razão na questão, mas felizmente escolhe uma evidência ruim, torna-se fácil para nós rebater essa evidência, e então estendemos isso para a questão como um todo. Na verdade, isso se resume a trocar um *argumentum ad hominem* por um *ad rem*. Se não ocorrer a ele, ou aos presentes, nenhuma evidência correta, teremos ganho. Por exemplo, quando alguém apresenta uma evidência ontológica da existência de Deus que seja muito fácil de refutar. Essa é a maneira pela qual alguns advogados ruins perdem uma boa causa: querem justificar algo por meio de uma lei que não se aplica àquilo quando a adequada não lhes passa pela cabeça.

38 ÚLTIMA ESTRATÉGIA
Como último recurso, parta para o ataque pessoal.

QUANDO SE PERCEBE QUE O OPONENTE É SUPE-
rior e que vamos nos dar mal, então devemos partir
para o lado pessoal, ser ofensivos e rudes. Isso signi-
fica sair do assunto da discussão (porque ali o jogo
está perdido) e atacar de alguma maneira aquele com
o qual se disputa é a última esperança. Isso pode ser
chamado de *argumentum ad personam* em oposição
ao *argumentum ad hominem*, que se afasta do assunto
completamente objetivo para se ater ao que o oponente tenha dito ou admitido em relação ao assunto. Mas ao ir para o lado pessoal, abandona-se o assunto completamente e os ataques são direcionados
à pessoa do oponente: a pessoa então será sujeita a
humilhações, maldades, afrontas e grosseiras. É um
apelo da força da mente sobre as virtudes do corpo,

ou sobre a animalidade. Esse truque é muito apreciado, pois pode e costuma ser usado por qualquer um. Agora a questão é: quais os truques disponíveis para o oponente? Se ele usar os mesmos, isso se tornará uma luta, um duelo ou processo de injúria. Estaríamos muito enganados em achar suficiente simplesmente não ir para o lado pessoal. Pois ao mostrar a alguém que ele está errado e, portanto, julga e pensa de maneira errada, o que é o caso em qualquer disputa dialética, você o enerva mais do que se usar alguma expressão rude ou um insulto. Por quê? Pois como diz Hobbes no capítulo 1 de *Do Cidadão*: *Omnis animi voluptas, omnisque alacritas in eo sita est, quod quis habeat, quibuscum conferens se, possit magnifice sentire de seipso* [Todo o prazer intelectual e toda a felicidade se baseiam no fato de ter uma pessoa com quem se comparar e em relação a quem se sentir superior.] Nada supera a satisfação da própria vaidade e nenhum machucado dói mais do que o ataque a ela. (Daí surgem ditados como "a honra vale mais do que a vida" e assim por diante.) Essa satisfação da vaidade consiste principalmente na comparação de si com o outro, em relação a qualquer coisa, mas principalmente em relação às forças intelectuais. Isso acontece de maneira efetiva e muito intensa nas disputas. Daí a exasperação do derrotado, sem que lhe inflijam injustiças, e por isso ele se apega aos últimos meios, a esta última estratégia, do qual não se pode escapar por meio da simples gentileza da nossa parte. Ter muito sangue frio pode ajudar a qualquer um. Neste caso, assim que o oponente for para o lado pessoal, responda com tranquilidade "isso não tem a ver com o assunto", e imediatamente colocar a conversa nos trilhos novamente, e continuar para provar que ele está errado, sem dar atenção aos seus insultos — assim como Temístocles diz para Euribíades: πάταξον μεν, ακουσον δε [bata em mim, mas me ouça]. Não é todo mundo que consegue fazer isso.

Por isso, a única regra contrária segura é aquela que Aristóteles já deu no último capítulo dos *Tópicos*: não discuta com o primeiro que aparecer, mas só com os conhecidos que sabemos que têm conhecimento suficiente para não dizer coisas absurdas que os envergonhariam; disputar com argumentos e não com afirmações de força e, finalmente, valorizar a verdade, ouvir bons argumentos com prazer, mesmo os saídos da boca do oponente, e ter integridade suficiente para poder suportar não estar com a razão quando a verdade estiver do outro lado. Por isso, dentre centenas de pessoas raramente existe mais que uma com quem valha a pena discutir. Deixe o restante falar o que quiser, pois *desipere est juris gen-*

tium [a ignorância é um direito do ser humano]; e pensemos no que disse Voltaire: *La paix vaut encore mieux que la vérité* [A paz ainda é melhor do que a verdade]; e um ditado árabe: "Na árvore do silêncio crescem os frutos da paz".

No entanto, a discussão como atrito entre mentes muitas vezes é necessária para os dois lados, para a correção dos próprios pensamentos e para a produção de novos pontos de vista. Mas as duas partes devem ter formação e inteligência bastante equivalentes. Se um não tiver o primeiro, ele não entende nada, não está no mesmo nível. Se lhe faltar o segundo, a exacerbação resultante o levará à desonestidade e à astúcia, ou à grosseria.

(1830)

Mostre ao seu oponente que está lutando contra os próprios interesses

Durante todo o julgamento do Mensalão, Marcos Valério, considerado o operador do sistema de compra de votos, ameaçou revelar conversas e encontros secretos com o então presidente Lula, para conseguir protelar ou minimizar sua participação no processo.

Valério não usou a estratégia contra seus oponentes, mas contra aqueles que, podendo ajudá-lo, o abandonaram. Então afirmou algo que muitos se esqueceram: se fosse para o buraco sozinho e tivesse a vida totalmente devassada, seria uma ameaça ainda maior para seus antigos parceiros que distanciar-se dele, o que até então parecia mais seguro.

APÊNDICE

NOTAS DE SCHOPENHAUER

A LÓGICA E A DIALÉTICA JÁ ERAM UTILIZADAS COMO sinônimos pelos antigos, apesar de λογιζεσθαι, "refletir", "ponderar", "avaliar", e διαλεγεσθαι, "discutir" serem duas coisas muito diferentes. O nome dialética (διαλεκτικη, διαλεκτικη πραγματεια [confirmação dialética], διαλεκτικος ανηρ [homem dialético]) foi usado pela primeira vez, como nos informa Diógenes Laércio, por Platão. Descobrimos que no *Fedro*, no *Sofista*, e no livro VII da *República*, entre outros, para ele dialética significava o uso frequente da razão e a habilidade em seu exercício. Aristóteles usa τα διαλεκτικα no mesmo sentido; mas deve ter usado (segundo Lorendo Valla), também no mesmo sentido, λογικη (lógica). Encontramos em suas obras λογικας δυσχερειας, isto é, *argutias* [dificuldades lógicas], προτασιν λογικην

123

[premissas lógicas], αποριαν λογικην [aporia lógica]. Portanto, διαλεκτικη [dialética] é mais antiga que λογικη [lógica]. Cícero e Quintiliano usam dialética e lógica no mesmo sentido. Cícero em *Lucullo: Dialecticam inventam esse, veri et falsi quasi disceptatricem.* [A dialética é como a escolha entre as palavras verdadeiras e falsas]. *Stoici enim judicandi vias diligenter persecuti sunt, ea scientia, quam Dialecticen appellant* [Os estoicos de fato seguiram cuidadosamente os métodos dos julgamentos, com a ajuda de uma ciência que chamam de dialética], Cícero, *Tópicos*, capítulo 2. — *Quintilian: itaque haec pars dialecticae, sive illam disputatricem dicere malimus* [daí vem essa parte da dialética ou, como eles preferem chamar, a arte da decisão]. O último parece ser também o equivalente latino de διαλεκτικη [dialética]. (Pelo menos segundo *Petri Rami dialectica, Audomari Talaei praelectionibus illustrata, 1569.*) O uso de lógica e dialética como sinônimas perdurou na Idade Média e nos novos tempos, até hoje. No entanto, mais recentemente, principalmente em Kant, "dialética" foi usada com frequência em sentido pejorativo como "a arte sofista da disputa", e o termo "lógica" era preferido por ser mais inocente. No entanto, originalmente ambos os vocábulos têm o mesmo significado e nos últimos anos voltaram a ser vistos como sinônimos.

II

É UMA PENA QUE "DIALÉTICA" E "LÓGICA" TENHAM sido usadas como sinônimos desde a Antiguidade, e com isso não tenho muita liberdade para distinguir seus significados como gostaria, e para definir "lógica" (de λογιζεσθαι , "refletir", "estimar", de λογος, "palavra" e "razão", que são inseparáveis) como "a ciência das leis do pensamento, isto é, do método da razão" — e "dialética" (de διαλεγεσθαι, "discutir": cada discussão comunica fatos ou opiniões, isto é, é histórica ou deliberativa) como "a arte de disputar" (palavra usada no sentido moderno). Obviamente, a lógica então observa um assunto de caráter puramente *a priori*, definido sem a experiência, isto é, as leis do pensamento, o processo da razão ou o λογος (as leis) que a razão segue quando abandonada por si só e não é incomodada, como no caso do pensamento solitário de um ser racional que não é distraído de maneira alguma. A dialética é também tratada como o encontro de dois seres racionais, que, por serem racionais, devem pensar em conjunto mas, assim que deixam de concordar como dois relógios que marcam exatamente o mesmo horário, criam uma discussão ou uma disputa intelectual. Como seres puramente racionais, os dois indivíduos deveriam concordar. Suas divergências surgem das diferenças, que são parte essencial da individualidade; são, portanto, elementos empíricos. A lógica, a ciência do pensamento, isto é, o processo da razão pura, poderia então ser completamente construída *a priori*; e a dialética, em grande parte, apenas *a posteriori*, a partir do conhecimento empírico das perturbações que o pensamento puro sofre diante das diferenças individuais no pensamento conjunto de dois seres racionais e diante dos meios que cada um dos indivíduos utiliza para fazer seu pensamento individual valer como puro e objetivo. Então, é próprio da natureza humana que, no pensamento em conjunto, διαλεγεσθαι, isto é, a expressão de opiniões (exceto os discursos históricos), quando A percebe que os pensamentos de B sobre o mesmo assunto se distanciam dos seus, ele não reavalia primeiro seus próprios pensamentos para encontrar os erros, mas pressupõe que o erro esteja no pensamento alheio. Ou seja, o ser humano é arrogante por natureza; e a consequência dessa característica é o que ensina a disciplina que quero chamar de dialética, mas para evitar mal-entendidos, vou chamar de "dialética erística". Assim, ela seria o estudo do comportamento arrogante natural do ser humano.

ASSINE NOSSA NEWSLETTER E RECEBA INFORMAÇÕES DE TODOS OS LANÇAMENTOS

WWW.FAROEDITORIAL.COM.BR

Há um grande número de portadores do vírus HIV e de hepatite que não se trata.

Gratuito e sigiloso, fazer o teste de HIV e hepatite é mais rápido do que ler um livro.

FAÇA O TESTE. NÃO FIQUE NA DÚVIDA!

CAMPANHA

ESTA OBRA FOI IMPRESSA EM
OUTUBRO DE 2024